郝廣才童話

夢幻城堡

Illustrations copyright © 1993 by Maria Battaglia

文／郝廣才　圖／白蒂莉亞

總編輯／郝廣才　責任編輯／趙美惠・劉思敏　美術編輯／李燕玉

出版發行／格林文化事業股份有限公司　地址／台北市新生南路二段2號3樓

電話／(02)2351-7251　傳眞／(02)2351-7244　網址／www.grimmpress.com.tw

讀者服務中心／書虫俱樂部　讀者服務專線／(02)2500-7718～9　24小時傳眞服務／(02)2500-1990～1

郵撥帳號／19863813 書虫股份有限公司　網址／www.readingclub.com.tw　讀者服務信箱E-mail／service@readingclub.com.tw

香港發行所／城邦（香港）出版集團　地址／香港灣仔駱克道193號東超商業中心1樓

電話／852-25086231　傳眞／852-25789337　E-Mail／hkcite@biznetvigator.com

馬新發行所／城邦（馬新）出版集團 Cite (M) Sdn. Bhd. (458372 U)

地址／11, Jalan 30D/146, Desa Tasik, Sungai Besi, 57000 Kuala Lumpur,Malaysia　電話／603-90563833　傳眞／603-90562833

ISBN／978-957-745-130-9　2010年12月四版1刷　定價／250元

城邦讀書花園
www.cite.com.tw

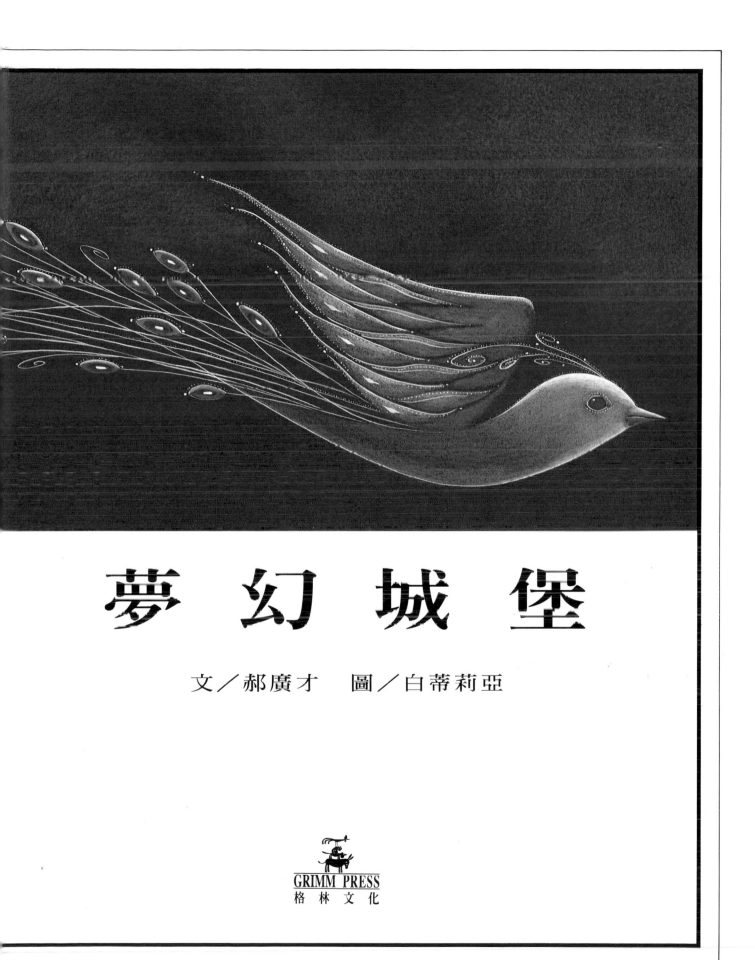

夢 幻 城 堡

文／郝廣才　圖／白蒂莉亞

GRIMM PRESS
格林文化

只要你相信，
夢想就會實現。
只要你相信，
魔法就會靈驗。
用你的天真，
張開你的心眼，
看看夢的森林，
有沒有神仙在眨眼？
不做夢的人，
永遠不會發現。
不相信的人，
美夢沒有明天。
打開你的心門，
你將跨越平凡界限。
傳出你的回音，
你會聽見夢的呼喚……

一陣歌聲，傳進王子耳中，王子騎馬踏過開滿野花的小路，在歌聲前停住。

原來是個樵夫，正在一邊唱著歌一邊砍樹。樵夫看見王子，便向王子行禮打招呼。

王子問樵夫說：「我聽到你剛唱的歌，是不是你自己編的？」

樵夫說：「不是我編的，是睡覺的時候學會的。」

王子說：「什麼？你睡覺學會唱歌？」

樵夫說：「應該說做夢。有一次我夢見好多精靈，他們唱了好多歌，每一首都好好聽。我醒來以後，全部都記不住，只有這一首，卻記得一清二楚。」

王子說：「你真是個有趣的樵夫，對夢這麼在乎。」

樵夫說：「很多人笑我笨，說我做夢太認真。但是人如果沒有夢想，活著又有什麼希望？」

「明天你到我的城堡來作客，讓國王聽你唱那首歌，他一定會很快樂。」王子向樵夫一揮手，拉起馬頭，繼續往前走。走到一棵大樹下，王子下了馬，在樹下靠了靠，不知不覺就睡著。

忽然迎面一陣風，王子的頭髮、衣服都往後衝。王子張開眼睛，發現自己在上升，人在空中。

他在飛，有兩個仙女拉著他飛。飛過一大片荊棘，好不容易才落地。

仙女帶王子走進一座城堡，城堡裡的人有站著、有坐著、有趴著、躺著……都好像在睡覺。

　　王子跟著仙女左轉右彎，來到了一個粉紅色的房間。房裡頭也有仙女，她對王子說：「我們是紅、藍、白三仙女，掌管快樂、聰明和美麗。九十九年前，這個城堡中了黑仙女的法術，黑仙女用魔針刺傷了十六歲的公主。從此公主就失去知覺，全國也陷入昏睡的世界。」

「黑仙女是誰啊？」王子睜大眼睛問。

「黑仙女是掌管妒忌的女神，她的脾氣壞得很！」

「你們三個不也是仙女嗎？為什麼不救公主啊？」王子問。

「妒忌的法力最強、最大，我們三個也鬥不過她。但是我們有一百年的時間，只要能找到真心愛公主的人，親吻公主一下，就可以解除魔法。」仙女說完，把王子拉到床邊。

仙女掀開床簾，王子才看公主一眼，不用愛神的箭，戀愛的血已經把他的心注滿。

王子彎下身，輕輕貼近公主的嘴唇，深深一吻……。

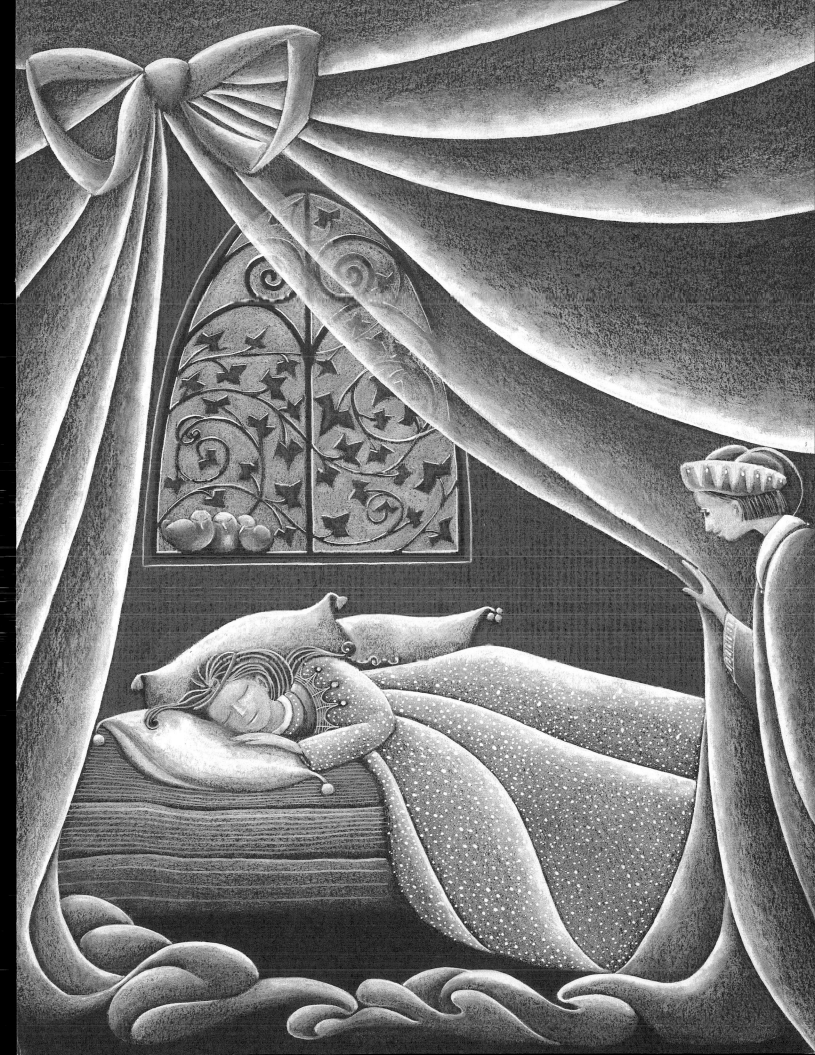

那一瞬間，好像一百年。

公主的睫毛動了動，然後張開眼睛，醒了。全國都醒了。

人們大吃大喝，跳舞唱歌，沒有人不快樂。

但是，當王子向公主求婚時，不知道發生什麼事，一切突然靜止。每個人的心，好像重了幾千斤，沒有一點聲音。

公主對王子說：「你的吻使我復活，救了整個王國。但現在你是在做夢，我們只能活在你的夢中。只要你醒來，這裡又將回到沈睡的狀態。」

王子說：「那我不要清醒，如果能永遠在夢中，那就不是做夢。」

　　仙女說：「這樣還是行不通，你早晚會被叫醒。除非你相信，夢想才會成真。」

　　王子說：「我相信，可是怎樣使這個夢成真？」

　　「你睡醒後，馬上向南方走，當你走過第七座橋，在森林中小心找，找到一棵黑色的樹，樹下埋著一口鐵箱，你把它挖開，拿出箱內的寶劍和盾牌。然後再往西，走過傷心沼澤地，你會看到一片荊棘。你用寶劍把荊棘砍開，盾牌能夠保護你不受傷害，我們會在城下等待。」紅仙女講一遍，藍仙女講一遍，白仙女又講一遍。

　　「明天就滿一百年，如果再沒有人通過考驗，這裡一切將消失不見。你是我們最後的希望，要相信你的夢想……。」

又是一陣風，王子再度飛上高空。

他回頭看，城堡離他越來越遠，慢慢失去光亮，和他來時一樣。

又是一陣風，把王子吹醒。他往馬背上一跳，拚命向南跑。跑過一座橋，兩座橋、三座橋……跑到第七座橋。橋上頭有個人，原來是樵夫。王子忍不住問他說：「啊！是你。你在橋上做什麼？」

樵夫說：「我在等待，等待好運來。」

王子問：「好運？等什麼好運？」

樵夫說：「我在三年前，連續三天夢見一隻長尾巴的鳥，牠說這是座幸運橋，叫我在這兒等，好運早晚會來到。從此我每天砍完柴，就到橋上來。」

「三年！你為一個夢，在這裡等三年？」王子看瞧夫傻頭傻腦，忍不住哈哈大笑說：「我看你頭腦不清楚，實在太胡塗。我剛剛做一個夢，比你的夢好太多……」王子把夢中的事情，全部講給樵夫聽。

王子最後好心的勸樵夫說：「不要相信無聊的夢話，快點回家吧！別忘了明天來找我，我會請你真真實實大吃一頓，這才是你的好運！」

樵夫聽了王子的話，向王子行個禮，立刻跑回家。原來樵夫住的地方，就有一棵黑色的大樹。大樹下果然埋著一口鐵箱。樵夫打開鐵箱，鐵箱裡閃著金色的亮光。

樵夫拿起寶劍和盾牌，一直往西走，走過傷心沼澤地，看到一片荊棘。

樵夫舉起劍，用力向前砍，砍啊砍，荊棘好像永遠砍不完。這是最後一天，他要在太陽升起以前，克服這個困難。他知道已經沒有多少時間，他只有咬緊牙關，拚命不停的砍、砍、砍⋯⋯。

終於，那夢幻中的城堡，出現在他的面前。

樵夫吻了公主，從此不再是樵夫。
他抓住了好運，讓美夢成真。

一切從沈睡中甦醒，
花兒重開，草兒新生。
美麗的小鳥兒啊！
怎麼能把你留在鳥籠？
飛吧！飛吧！飛向天空，
讓看見你的人都有好夢。

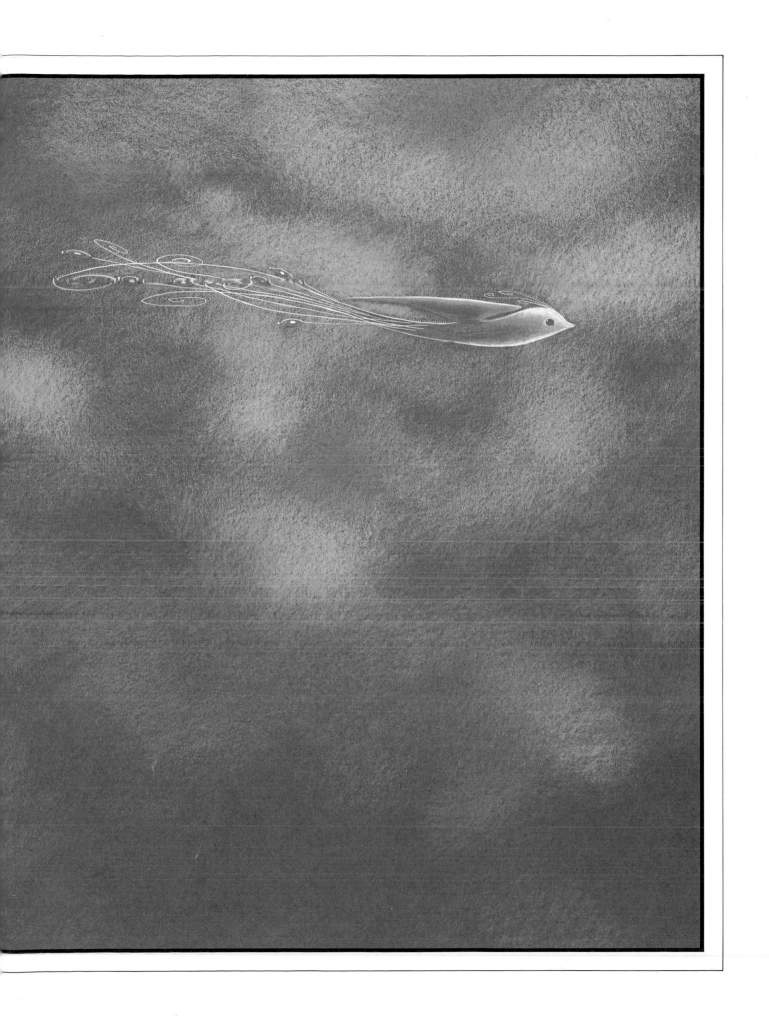

郝 廣 才

　　郝廣才可謂台灣兒童書進入繪本時代的關鍵人物。他所著作與主編的繪本，結合了世界的創作資源，延攬國內外傑出的插畫家共一百多人，以多樣的繪畫風格詮釋經典文學及現代兒童文學創作，插畫與文學的高度配合，造就極佳的創意與品質，吸引許多國際知名的出版社爭相前來購買版權，也屢獲國內外各項大獎，1996年他更受邀至「波隆那國際兒童書展」擔任兒童書插畫展的評審，成為該展有始以來第一位、也是最年輕的一位亞洲評審。

　　郝廣才的創作往往具有深入淺出的「寓言風格」，在充滿想像力的故事情節中，導引孩子認識人生的各種面貌；加上押韻的寫作方式，孩子唸起來琅琅上口，更有親切感。包括《起床啦！皇帝》、《巨人和春天》、《新天糖樂園》、《如果樹會說話》和《一片披薩一塊錢》……等廣受小朋友以及成人的喜愛。

　　在《夢幻城堡》中，他藉著王子和樵夫兩個角色的對比，在追夢的情節中，引出「只要你相信，夢想就會實現！」的意涵，富含詩意與美感。

白 蒂 莉 亞 (Maria Battaglia)

　　白蒂莉亞原來是個小學老師，後來因為喜歡圖畫書，便放棄教學的工作，進入米蘭的藝術學校習畫。很快的，他就成為一個專業的圖畫書創作者，並在國際性的插畫展中嶄露頭角，「波隆那國際兒童書插畫展」、「布拉迪斯國際插畫雙年展」和「加泰隆尼亞國際插畫雙年展」等都看得到她的作品。

　　白蒂莉亞的作品具有精緻的形式和抒情的風格。她擅長組合美麗如花開的線條，營造高雅細緻的質地，乍看好像名匠精雕的珍奇細工。例如她畫的山，一峰挨連著另一峰。她的人物造型，也是依據一個迷人的公式而來，運用容易理解的姿勢，不夾渙散的細節，這些清晰的象徵手法，將故事清楚、動人的述說出來。

　　白蒂莉亞於1963年出生在義大利、她這次畫《夢幻城堡》，還特別取材許多中國古典的圖案和色彩，希望台灣的小讀者會喜歡。